CW00867132

Agostino Traini

De kleine ridders

The little knights

tutti

Noot voor de (voor)lezer
De kleine ridders is oorspronkelijk in het Italiaans geschreven. De vertalers van de Nederlandse en Engelse versies hebben respectievelijk Nederlands en Engels als moedertaal en wonen beiden in Italië. Omdat iedere taal nu eenmaal zijn eigen nuances en eigenschappen heeft, zullen de lezer misschien kleine verschillen opvallen, aangezien de teksten in dit boekje zo direct naast elkaar worden gepresenteerd.

Oorspronkelijke titel: *I piccoli cavalieri*

Engelse vertaling: Maria Bayliss
Nederlandse vertaling: Irma van Welzen
Grafische verzorging: Het vlakke land

ISBN 978 94 90139 03 2

Gedrukt en gebonden in Italië.

tutti streeft ernaar om verantwoord en duurzaam met milieu en natuurlijke hulpbronnen om te gaan. Hierbij is gelet op de minimalisatie van materiaal, afval en transport en is zoveel mogelijk gebruik gemaakt van milieuvriendelijke materialen. Het papier van dit boek (GardamattArt) is geproduceerd in een FSC-gecertificeerde fabriek. Daarbij is het zeker dat het hout, de belangrijkste grondstof voor het papier, afkomstig is uit speciaal voor productie aangelegde bossen.

Voor verdere informatie kun je terecht op www.duurzaamuitgeven.nl of op onze website www.tutti.nl. Daar kun je ook lezen wat er allemaal komt kijken bij het maken van het boek dat je nu in handen hebt.
Kijk ook op www.tutti.nl om het Engelstalige luisterboek te downloaden; je vindt er voorleestips, lessuggesties en achtergrondinformatie over Agostino Traini.

Er waren eens een koning, een koningin, een paar prinsen en prinsessen, veel ridders en heel veel jonkvrouwen en... weinig vijanden, heel weinig monsters en niet een draak.

Once upon a time there was a King, a Queen, some Princes, Princesses, many Knights, lots of Ladies, a few enemies, very few monsters and no dragons!

Het was namelijk zo dat met de jaren, de vijanden, de draken en de monsters allemaal waren verslagen en gedood. De koning voelde zich ongelukkig omdat hij niets meer te doen had. Niemand wilde de jonkvrouwen ontvoeren en de ridders vochten voor de lol tegen elkaar.

The point is, that as time went by the enemies, the dragons and the monsters had all been defeated and killed. The King was very unhappy, he had nothing to do. The Ladies had no-one to kidnap them and the Knights fought each other for fun!

De koningin dacht met weemoed terug aan die keer dat de laatste draak haar had ontvoerd: het was een stormachtige nacht geweest en de draak had haar meegevoerd naar zijn stinkende hol waar allerlei kostbaarheden hoog opgestapeld lagen.

The Queen remembered with nostalgia when the last living dragon had kidnapped her. It had been a stormy night and the dragon had taken her to his smelly lair where all kinds of treasure was piled high.

De koning, haar man, had de draak de hele nacht achtervolgd en bij aankomst bij de ingang van de grot geschreeuwd: 'Kom naar buiten en vecht, walgelijk monster!' Toen de draak fladderend en vuurspuwend naar buiten was gekomen, doorboorde de koning zijn borst.

The King, her husband, chased the dragon all night and on his arrival at the cave entrance shouted, 'Come out and fight, you dirty monster!' As the dragon appeared flapping his wings and spitting fire, the King stabbed it in the chest!

Vanaf dat moment beseften ze allemaal dat het leven nooit meer hetzelfde zou zijn. Zwijgend liepen ze terug naar het kasteel en borgen hun wapens op in de kast.

From that moment everybody realized that life would not be the same again. They walked in silence to the castle and put their weapons back in the cupboard.

‘In plaats van zo egoïstisch te zijn en de allerlaatste draak te doden, had je beter je hersens kunnen gebruiken’, riep de koningin vaak boos tegen de koning. ‘Als jij hem in leven had gelaten, had de draak mij en mijn vriendinnen nog vele malen kunnen ontvoeren. We hadden nog eeuwen plezier kunnen hebben, maar nu…, jij en je stomme wapens ook!’

‘Instead of being selfish and killing the last dragon, you could have used your brain a bit!’, the Queen screeched at the King. ‘If you had spared his life, the dragon could have kidnapped me several more times, my friends too! Everybody could have had a good time for centuries, but now…, you and your silly weapons…’

Maar er stond iets te gebeuren, ten goede of ten kwade, waardoor ze allemaal weer van alles te doen zouden hebben. Op een zaterdagmorgen waren de koning en de koningin zoals altijd boodschappen aan het doen in de supermarkt. Ze hadden hun karretje tot de rand gevuld en stonden in de rij voor de kassa.

Actually, something very special was about to happen, and everybody would have something to do, whether good or bad. One Saturday morning, as normal, the King and Queen were shopping at the supermarket. Their trolley was full to the brim and they were queuing at the till.

En zoals wel vaker was er iemand die niet in de rij wilde wachten en voordrong. Een oud dametje wrong zich vóór de koning, waarop de koning, heel beleefd hoor, haar karretje opzij duwde. Alsof er niets gebeurd was drong het oude dametje opnieuw voor, en ditmaal duwde de koning haar karretje heel beslist opzij.

As usual someone was trying to jump the queue. An old woman pushed passed the King and so very politely the King pushed her trolley aside.
As if nothing had happened, the old woman pushed again and so did the King, harder!

De koning en de oude vrouw keken elkaar recht in de ogen. Zij duwde haar karretje weer naar voren en hij duwde nóg harder terug, waardoor bijna al haar boodschappen op de grond vielen. De twee begonnen elkaar uit te schelden en iedereen draaide zich om en keek. In werkelijkheid was de oude dame een boze heks.

The King and the old woman stared at each other, she pushed her trolley once more and he pushed back, harder, nearly knocking out all of the shopping. Everyone was looking at them as they started to curse each other. As it turned out this old woman was a wicked witch.

Gemeen giechelend haalde ze haar toverstok te voorschijn. 'Jij voelt je heel belangrijk, hè? Maar zal ik je eens wat zeggen, met deze toverspreuk worden jij en je volgelingen zo klein als muizen!' De heks siste: 'Nu kun je koning worden van de kakkerlakken!'

She started sniggering and reached for her magic wand. 'So! You think you are really important do you?! Well, I am going to cast a spell that will make you and all your people as small as mice!' The witch hissed, 'Now you will be King of the cockroaches!'

De toverspreuk van de heks was erg krachtig, en de koning en de koningin werden in een oogwenk zo klein als een blikje cola. Ze maakten zulke kleine pasjes dat het heel lang duurde voordat ze weer terug waren bij het kasteel.

The witch's spell was very powerful and suddenly the King and Queen were as small as cans of coke! Their steps were so teeny that it took them a long time to walk back to the castle.

Daar troffen zij alle prinsen en prinsessen in gespannen afwachting aan. Allemaal waren ze heel klein geworden, zo klein dat ze tezamen makkelijk op een vloertegel van de salon pasten. De koning riep meteen iedereen bijeen.

When they arrived the Princes and Princesses where there, waiting anxiously. They had all become very small, so small they could all fit comfortably on one sitting room floor tile! Immediately the King called a meeting.

‘Jonkvrouwen en ridders, wij bevinden ons in een ongekende situatie. Wij moeten heel goed opletten en alert zijn, want er zullen vele gevaren opdoemen die wij niet voor mogelijk hielden toen wij normaal waren. Allereerst moeten wij een nieuw huis bouwen, want dit kasteel, lijkt mij, is nu veel te groot voor ons!’ Iedereen keek omhoog naar het plafond en naar de muren, die wel zo hoog en zo ver weg leken als de sterrenhemel.

‘Knights and Ladies, we are in a very strange situation. We all need to pay attention and be vigilant. There will be many dangers we never considered when we were normal. Firstly we must build a new home. This castle, I think, is too big!’ Everyone looked up at the ceiling and walls, so high and far away, far away like the starry sky.

Enkele
jonkvrouwen
en trouwens
ook ridders hadden
muizen, hagedissen, spinnen,
schorpioenen en al dat soort
dieren altijd al griezelig en eigenlijk
best vies gevonden. Maar nu waren deze
dieren enorm groot en hongerig en niet alleen
vies maar eigenlijk heel gevaarlijk! De avond
brak aan en ze moesten gauw een veilig fort
bouwen. Maar hoe?

There were some Ladies and Knights too, that had always considered the mice, the lizards, the spiders, the scorpions and similar animals... not very friendly and actually quite disgusting! But now, these creatures were big and huge and hungry and not only disgusting but actually very dangerous! Night was fast approaching and they had to build a secure fortress, but how?

‘Laten we een vesting bouwen met de potloden uit mijn etui’, stelde een prinsje voor. ‘Ik hoef nu toch niet meer naar school!’ De ridders haalden een voor een de potloden, slepen de punten scherp en bouwden een vestingwal door de potloden met naaigaren aan elkaar vast te maken. Gewapende schildwachten hielden de wacht terwijl een patrouille eten ging halen.

‘Let’s build a blockhouse with the pencils from my pencil case’, said one Prince. ‘I don’t need to go to school anymore!’ The Knights went to get the pencils, one by one, they sharpened the points and built the blockhouse tying them together with thread. Armed sentinels kept watch, while a patrol went to get food.

Toen het tijd werd om te eten gingen ze allemaal om het vuur zitten en aten met veel smaak. ‘Ik denk dat er in de toekomst nog vele avonturen zullen volgen!’ riep de koning uit. ‘En dat is toch wat we willen, nietwaar?’ Bij het licht van het vuur dansten de schaduwen op de muren van de zaal in de verte, de wapens glinsterden en ieders ogen schitterden van opwinding.

When dinner time came they gathered around the fire and ate heartily. ‘I believe that in the future there will be many more adventures!’ exclaimed the King. ‘After all, isn’t this what we all wanted?’ In the light of the fire the shadows danced on the faraway walls of the room, the weapons gleamed and everyone’s eyes glistened with emotion.

Toen overwon de vermoeidheid en iedereen, behalve de wachters, viel in slaap en droomde van ontvoeringen, veldslagen en andere enge verhalen die mooi waren om na te vertellen. In de daaropvolgende dagen verhuisden ze naar de tuin en bouwden daar een prachtige, comfortabele villa. Ze legden allerlei vestingwerken aan en verlieten het kasteel voor altijd. Ze gingen alleen nog terug als ze iets nodig hadden.

Tiredness took over and everyone apart from the sentinels, fell asleep dreaming of kidnapping and battles and scary stories to tell.
In the following days they moved to the garden and built a fantastic, comfortable residence. They organized every possible defense and abandoned the castle forever, visiting every now and then when they needed something useful.

De jonkvrouwen en de ridders deden allerlei prachtige ontdekkingen. Omdat zij klein waren schrokken de vogels en de veldmuisjes niet van ze. Die kwamen rustig dichterbij en namen het eten aan dat hun werd aangeboden.

Wonderful things began to happen to the Ladies and the Knights. They found that being so little meant they didn't scare the birds or the field mice that came close, calmly, to get the food that they were offered.

De ridders ontdekten hoe ze vriendschap met de vogels konden sluiten. De vogels lieten hen op hun rug klimmen en brachten hen overal naartoe.

The Knights learned how to be friends with the birds, how to climb on their backs and be transported here and there.

Op een ochtend klaagden de jonkvrouwen: 'De honing voor het ontbijt is op!' Dat lieten de ridders zich geen twee keer zeggen. Ze pakten hun wapens, stapten op hun vliegende kameraden en vertrokken.

'There isn't any honey for breakfast!', the Ladies moaned one morning. So the Knights, without hesitating, took their weapons, mounted their flying companions and left.

Niet ver daarvandaan lag een bijenkorf die barstte van de honing maar natuurlijk ook van de bijen. Het leek wel een geel-zwarte wolk. De ridders stegen hoog de lucht in om de situatie goed te overzien.

Not far away was a beehive, bursting full of honey but also full of bees! It looked like a huge yellow and black cloud and the Knights flew high in the sky to take a look at the situation.

In glijvlucht doken ze omlaag naar de bijenkorf en vuurden hun pijlen met grote precisie af. De bijen verdedigden zich heftig en het luchtgevecht was vreselijk. Uiteindelijk landden de ridders op de bijenkorf en vochten met hun zwaarden en bijlen, staken alles in brand en namen lekker veel honing mee. Gelukkig waren de harnassen bestand tegen de steken van de bijen.

They launched themselves down on the beehive, using arrows with fierce precision. The bees attacked viciously and the air battle was terrible. Finally the Knights landed on the beehive and fought with swords and axes, they set fire to everything and gathered lots of honey. Luckily their suits of armour were resistant to bee stings!

'Deze honing is verrukkelijk', zeiden de jonkvrouwen bij het ontbijt en de ridders waren heel trots. Maar ook iemand anders wilde ontbijten. Tijger, de kasteelkat, die vroeger door iedereen werd geaaid en geknuffeld, was ongezien binnengekomen. Met een sprong greep hij een van de ridders en vluchtte snel weg.

'This honey is delicious!', said the Ladies at breakfast and the Knights felt very proud. But, there was someone else who wanted breakfast. Tiger, the castle cat, who had once been the object of everyone's hugs and cuddles, had arrived unseen. With one leap he had captured one of the Knights and was escaping quickly.

Alle jonkvrouwen vielen flauw. De ridders zetten de achtervolging van Tijger in, die intussen was teruggekeerd naar een stoffige zaal in het kasteel. Deze keer moesten de ridders er te voet achteraan, want de vogels en de muizen waren te bang voor Tijger en weigerden die kant op te gaan.

The Ladies all fainted! The Knights started to follow Tiger, who had meanwhile gone back to a dusty room in the castle. The Knights had to run this time because the mice and the birds were too scared of Tiger and refused to move.

Er waren overal verstopplekjes in het kasteel, maar de ridders kenden Tijgers gewoonten goed. Ze gingen rechtstreeks naar de plek waar Tijger zijn prooi altijd mee naartoe nam.

There were many hiding places in the castle but the Knights knew Tiger's habits well. Unhesitatingly they went straight to where they knew he would have taken his prey.

‘Kom naar buiten en vecht, walgelijk monster!’, riep de koning en Tijger kwam, zijn snorharen likkend, vanachter de stoel te voorschijn. ‘Kijk eens aan, het is me nog nooit eerder overkomen dat de lunch *mij* komt opzoeken!’, grinnikte Tijger, terwijl hij zich klaarmaakte om de ridders te grijpen. De ridders hadden echter brandende pijlen meegenomen, en zo leerde Tijger die dag een lesje. Groter zijn is niet altijd genoeg om te winnen!

‘Come out and fight you horrible monster!’, shouted the King and Tiger came out from behind the armchair licking his whiskers. ‘Well, well, this has never happened to me before, that my lunch comes looking for *me*!’, tittered Tiger, just as he was about to pounce on the Knights. The Knights had taken flaming arrows. Tiger learned a lesson that day. Even though you may be bigger you do not always win!

De gewonde ridder genas binnen enkele dagen en ook de jonkvrouwen kwamen weer bij. Tijger ging weer achter muizen en gelijksoortige beesten aan en zorgde niet meer voor problemen. 'Desalniettemin,' adviseerde de koning, 'kunnen we hem maar beter nooit vertrouwen!'

The wounded Knight recovered within a few days and so did the Ladies. Tiger was careful to stick to his diet of mice and similar prey. He never caused a big problem again. 'Even so,' advised the King 'it's best not to trust him!'

Iedereen was gelukkig. Het leven was mooi, er waren altijd avonturen te beleven en vijanden om tegen te vechten. Soms was hun bestaan wel gevaarlijk en waren ze bang, zelfs de koning, maar juist dat gaf waarde aan de vriendschap, het leven en de veiligheid van hun gerieflijke huis en aan ieder geschenk dat de natuur hun gaf.

Everyone was happy. Life was wonderful, there were always adventures and enemies to fight. Sometimes life was dangerous and scary and even the King was scared. But this was exactly what gave value to friendship, life, security of a comfortable home and every gift of nature.

En zo werd het Kerstmis. Er vielen sneeuwvlokken zo groot als kussens. De ridders droegen hun glanzende wapenuitrusting, het eten was heerlijk, er werd muziek gespeeld en er waren veel hooggeëerde gasten aanwezig.

Christmas came. Snowflakes fell as big as cushions. The Knights wore shining armour, the dinner was excellent, the music played and there were many honourable guests.

Zo gingen de seizoenen voorbij en de faam van de kleine ridders raakte wijd en zijd bekend. Ook de kleinste en meest weerloze dieren gingen naar de koning en vroegen zijn bescherming. Ze wisten dat hij heel moedig was en dat hij alles zou doen om hen te beschermen en hun vijanden te vernietigen.

Seasons passed and the fame of the Little Knights spread. Even the smallest most defenseless animals went to the King to ask for protection. They knew that he was very brave and that he would protect them and destroy their enemies.

Maar al deze berichten kwamen ten slotte ook de boze heks ter ore! Het was namelijk zo dat een slak die door de heks was mishandeld tegen haar zei: ‘Dikke pech voor jou, ik ga het aan de kleine ridders vertellen en kijk dan maar uit. Zij maken korte metten met bullenbakken.’

All this information somehow reached the ears of the wicked witch! As a matter of fact, a snail who had been mistreated by the witch said to her, ‘Worst for you, I’ll tell the Little Knights and they don’t mess with bullies!’

De heks volgde nieuwsgierig en met groot geduld de slak totdat zij de kleine ridders had bereikt. Ze herkende de koning en zag dat hij ondanks haar vervloeking gelukkig leefde, geliefd was en gerespecteerd werd.
Woedend voer ze tegen hem uit:

The witch was interested and waited patiently, following the snail until she met the Little Knights. She recognized the King and saw that although she had cursed him, he lived happily, he was loved and respected. She started to shout with rage.

‘Aha, jij bent het, miezerige vlo! Jij bent dus gelukkig, hè? Je bent blijkbaar graag klein, hè?’ siste ze tussen haar tanden. ‘Maar ik zal dat even rechtzetten, ik maak je zo groot dat alles wat je opgebouwd hebt nutteloos is en je helemaal overnieuw zult moeten beginnen!’

‘Oh it’s you, you pesky flea! So you are happy are you? you like being small, do you?’, she hissed through her teeth. ‘I’ll show you. I’ll make you so big that all you’ve built will be useless. You’ll have to start all over again!’

De heks was zo verblind van woede dat ze iets heel stoms deed, het stomste wat ze maar kon doen. Ze haalde haar toverstaf te voorschijn en krijste: 'Rotridders, word meteen allemaal zo groot als een berg!' Er brak vreselijke verwarring uit en de koning, de koningin en alle anderen werden zo groot dat ze duizelig werden toen ze naar beneden keken.

The witch was blinded with anger and did a very silly thing, the silliest thing she could ever do. She took out her magic wand and screamed, 'Beastly people, immediately become as big as mountains!' There was a lot of confusion and the King and Queen and everybody became so tall that when they looked down they felt dizzy!

De koning tuurde omlaag, tilde een voet op en begon hard te lachen: ‘De boze heks is dood! Ha, ha, ha! Ze ligt onder mijn voet!’
En inderdaad, zo was het. De verandering was zo snel gegaan dat de heks geen tijd meer had gehad om weg te komen. Zonder het te merken was ze onder de schoen van de koning terechtgekomen!

The King glanced down, lifted a foot and started laughing loudly. ‘The wicked witch is dead! Hahaha... she is under my foot!’ The transformation had been so fast the witch had no time to get out of the way. She found herself under the King’s shoe without even noticing!

'Als de heks daar onder zit,' opperde een prinsesje, 'dan zal haar toverstaf daar vast ook wel zijn.' De koning tilde zijn voet op en vond daar de toverstaf, zo klein als de poot van een vlieg. 'Nu kunnen we weer krimpen, maar hoeveel? Hoe klein willen we zijn? Wij zullen hierover moeten stemmen', sprak de koning plechtig.

'If the witch is under there,' suggested a little Princess 'then her magic wand should be there too?' The King lifted his foot and found the magic wand, so tiny, like a fly's leg. 'Now we can shrink again, but by how much? How do we want to be? We will decide with a vote', said the King solemnly.

'Wij zouden nog graag een dauwdouche willen nemen', zeiden de jonkvrouwen. 'Ik zou nog graag met mijn vlinder-vriendinnen willen spelen', zei een prinsesje. 'Wij zouden nog graag in de bloemen willen klimmen', zeiden de prinsjes. 'Wij zouden nog graag op de rug van de vogels willen vliegen', zeiden de ridders.

'We would still like to shower with the morning dew', said the Ladies. 'I would still like to play with my friends the butterflies', said a Princess. 'We would still like to climb up the flowers', said the Princes. 'We would still like to fly on the back of the birds', said the Knights.

‘Ik zou nog graag heel vaak ontvoerd willen worden door monsters en gered worden door de koning’, lachte de koningin. ‘En ik zou dat alles ook weer willen doen’, riep de koning uit. De toverstaf maakte een sprongetje en meteen daarop werden ze allemaal weer zo klein als blikjes cola.

‘I would still like to be kidnapped by monsters and rescued by the King, many more times!’, laughed the Queen. ‘And I too would like all that again!’, exclaimed the King. The magic wand jumped and instantly they all became as small as cans of coke!

Ze hielden een groot feest in het paleis, en het water van de rivieren vertelde in de bergen en in de valleien over de nieuwe overwinning van de koning. Hun vrienden waren blij en hun vijanden ontblootten hun tanden en scherpten hun nagels en angels voor het volgende gevecht!
En zo leefden ze nog lang en gelukkig.........

There was a huge party at the Palace and the water in the streams that flowed in the valleys and down the mountains, told of the new victory of the King. The friends were happy while the enemies bared their teeth and sharpened their nails and stings ready for the next battle! And like this they all lived happily ever after.........